el

SECRETO
MÁS EXTRAÑO

Presentado a:

De:

Fecha:

El Secreto Más Extraño

Es traducción del:
The Strangest Secret

Publicado y Distribuido por:

SOUND WISDOM
PO Box 310
Shippensburg, PA 17257-0310
717-530-2122

info@soundwisdom.com

www.soundwisdom.com

Diseño de la cubierta por Eileen Rockwell

ISBN 13

ISBN 13

ISBN 13

Para Distribución Mundial, Impreso en los Estados Unidos de América.

HC - 2 3 4 5 6 / 21 20

TP - 2 3 4 5 6 / 21 20

La clave tanto del éxito como del fracaso está en tus manos. ¿Qué harás con el Secreto Más Extraño?

CONTENIDO

PREFACIO

Earl Nightingale (1921–1989) fue un hombre de muchos talentos e intereses: una personalidad de la radio en un programa sindicado a nivel nacional, un empresario, un filósofo, un Marine, entre otras cosas. Pero un hilo unía todas sus actividades —una pasión por la excelencia y por vivir una existencia significativa.

Esta pasión lo llevó a buscar la fórmula secreta para el éxito. Pasó toda su vida estudiando los pensamientos y los hábitos de un grupo selecto de personas en la historia que alcanzaron grandes riquezas y/o posiciones importantes, con la esperanza de comprender la diferencia entre aquellos que logran altos niveles de éxito personal, profesional y financiero, y los que no.

Mientras leía la línea en el libro clásico de Napoleon Hill, *Piense y Hágase Rico*, que "nos convertimos en lo que pensamos", Nightingale experimentó su momento de "¡Ajá!" El descubrimiento de que los pensamientos son cosas con efectos muy reales —que tener una meta concreta en tu mente equivale a lograrla —impulsó su éxito, permitiéndole llegar a ser financieramente independiente ya a los 35 años.

Alrededor de ese tiempo, Nightingale compró una compañía de seguros. Usó su investigación de las leyes del éxito para crear discursos motivacionales semanales para su equipo de ventas. Tenía planes de estar fuera de la ciudad durante uno de estos discursos, así que grabó su charla de antemano para que se tocara en su ausencia. Su grabación del año 1956 es uno de los discursos más inspiradores de todos los tiempos, y fue el primer mensaje de palabra hablada en ganar un Disco de Oro por vender más de un millón de ejemplares.

Es más, la demanda por esta grabación llegó a ser tan alta, que Nightingale se animó a formar, junto con el empresario exitoso Lloyd Conant, la compañía de "publicaciones electrónicas" Nightingale-Conant, que desde entonces ha llegado a ser un gigante multimillonario en la industria del desarrollo personal.

En su discurso, el cual desde entonces se ha titulado *El Secreto Más Extraño*, Nightingale destila su prodigiosa investigación de la motivación humana en una sencilla fórmula para el éxito que puede ser adoptada por toda persona, sin importar sus circunstancias. Según Nightingale, la mayoría de la población ignora la importancia del Secreto

Más Extraño, y en cambio, languidece en un estado de inactividad ... sin propósito ni dirección, insatisfecho, y sin sentido de significado en la vida. Este discurso te enseñará cómo transformar tu modo de pensar de tal manera que puedas llegar a ser uno entre el cinco por ciento de los que tienen éxito en tu campo.

Al acercarse al final del discurso, Nightingale detalla un desafío de 30 días para implementar el Secreto Más Extraño. Esta prueba funciona para formar hábitos nuevos y saludables enfocados en lograr metas, ayudándote a superar ciclos tóxicos de pensamiento negativo. Dudar de sí mismo, la preocupación, el temor y otras emociones negativas, indudablemente impedirán que uno avance en la vida. Tal como indica la ley de sembrar y cosechar, si plantas emociones dañinas en la tierra de tu mente, cosecharás ansiedad, temor y fracaso. Tu mente – y el universo en términos generales – no discrimina entre "cosechas" negativas y positivas: ya sea que siembres veneno o promesa, cosecharás lo que siembras en igual medida. Una vez que reemplaces las creencias limitantes y los pensamientos negativos con un enfoque calmado, positivo e inquebrantable en una meta, cambiarás la pobreza emocional, espiritual y financiera por la abundancia, y riquezas de toda clase fluirán libremente en tu vida.

La clave tanto del éxito como del fracaso está en tus manos. ¿Qué harás con el Secreto Más Extraño?

EL SECRETO MÁS EXTRAÑO

Quiero contarte acerca del secreto más extraño en el mundo. Hace algunos años, el ganador del Premio Nobel, el doctor Albert Schweitzer, fue entrevistado en Londres, y el reportero le preguntó, "Doctor, ¿qué les pasa a los hombres hoy en día?"

El gran médico guardó silencio por un momento, y luego dijo, "Los hombres sencillamente no piensan".

Es acerca de eso que quiero hablar. Vivimos hoy en una edad de oro. Es una época que la humanidad ha esperado con anticipación, con la cual ha soñado, y por la cual ha trabajado durante miles años, pero como ya está aquí, lo damos por sentado. En los Estados Unidos somos particularmente afortunados de vivir en la tierra más rica que haya existido en la faz de la tierra, una tierra de abundante oportunidad para todos. ¿Pero, sabes qué ocurre?

Tomemos a cien hombres que tienen veinticinco años de edad. ¿Tienes idea de lo que les ocurrirá a estos hombres cuando hayan llegado a la edad de los sesenta y cinco? Todos estos cien hombres que empiezan a la edad de veinticinco creen que van a tener éxito. Si le preguntaras a uno de estos hombres si quisiera tener éxito, él te diría que sí, y te darías cuenta que él ve la vida con mucho entusiasmo, que hay cierto brillo en sus ojos, que tiene una postura erguida, y que la vida le parece una aventura bastante interesante.

Pero para cuando lleguen a los 65 años, uno será rico, cuatro serán financieramente independientes, cinco todavía estarán trabajando, y cincuenta y cuatro estarán en la ruina financiera. Ahora, piensa por un momento. De los cien, solo cinco han tenido el éxito esperado.

Ahora, ¿por qué es que tantos fracasan? ¿Qué ha pasado con el brillo que había cuando tenían veinticinco años? ¿Qué ha pasado con sus sueños, esperanzas, planes? ¿Y por qué es que hay tanta disparidad entre las intenciones de estos hombres y lo que realmente lograron?

Cuando decimos que alrededor del cinco por ciento logran el éxito éxito, tenemos que definir el éxito, y aquí está la mejor definición que he podido encontrar: "El éxito es la realización progresiva de un ideal digno". Si un hombre está trabajando hacia una meta predeterminada y sabe a dónde va, ese hombre es exitoso. Si no lo está haciendo, es un fracaso.

"El éxito es la realización progresiva de un ideal digno". Rollo May, el distinguido psiquiatra, escribió un libro maravilloso titulado, *El Hombre en Busca de Sí Mismo,* y su

EL ÉXITO ES LA REALIZACIÓN PROGRESIVA DE UN IDEAL DIGNO.

—Earl Nightingale

El éxito es el maestro o la maestra de escuela que está enseñando porque es lo que quiere hacer. El éxito es la mujer que es esposa y madre porque ella quería ser esposa y madre y está desempeñando muy bien su papel. El éxito es el hombre que está dirigiendo una gasolinera en la esquina porque ese era su sueño; era lo que quería hacer. El éxito es el exitoso vendedor que quiere convertirse en un vendedor de primer nivel, crecer, y edificar su organización. El éxito es cualquier persona que está haciendo deliberadamente un trabajo predeterminado porque eso es lo que decidió hacer deliberadamente.

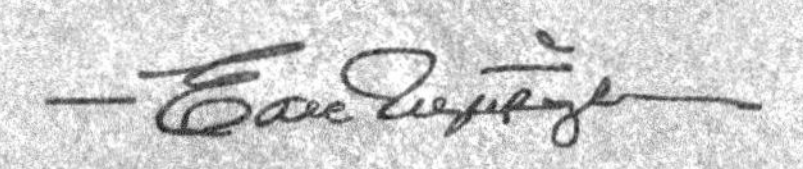

libro dice, "Lo opuesto a la valentía en nuestra sociedad no es la cobardía, es la conformidad".

Ése es el problema hoy en día: la conformidad —las personas actuando como todos los demás, sin saber por qué, sin saber a dónde van.

Ahora, piensa en esto. En los Estados Unidos ahora, hay más de dieciocho millones de personas que tienen sesenta y cinco años de edad o más. La mayoría de ellos están en la ruina. Dependen de alguien más para las necesidades de la vida.

Aprendemos a leer al cumplir los siete años. Hemos aprendido a ganarnos la vida a los veinticinco años. Generalmente para entonces, no solo nos estamos ganando la vida; estamos sosteniendo a una familia. Y sin embargo, para cuando llegamos a los sesenta y cinco, todavía no hemos aprendido a ser financieramente independientes en la tierra más rica que se ha conocido jamás. ¿Por qué?

Nos conformamos.

Y el problema es que nos estamos comportando como el grupo del porcentaje incorrecto—los 95 que no alcanzan el éxito.

¿Por qué es que estas personas se conforman? Pues, ellos en realidad no lo saben. Creen que sus vidas son moldeadas por las circunstancias, por las cosas que les suceden, por fuerzas exteriores. Se dejan dirigir por normas externas.

En una ocasión se hizo una encuesta entre muchos hombres que trabajaban—y se les preguntó: "¿Por qué trabajas? ¿Por qué te levantas cada mañana?" Diecinueve de cada veinte no tenían la menor idea. Si le preguntas a un hombre, él dirá, "Todo el mundo va al trabajo por la mañana". Y esa es la razón por qué lo hacen—porque todos los demás lo están haciendo.

Ahora, volvamos a nuestra definición del éxito. ¿Quién logra el éxito? La única persona que logra el éxito es la persona que está realizando progresivamente un ideal digno. Es la persona que dice, "Voy a llegar a ser esto" y comienza a trabajar hacia la meta.

Te diré quiénes son las personas exitosas. El éxito es el maestro o la maestra de escuela que está enseñando porque es lo que quiere hacer. El éxito es la mujer que es esposa y madre porque ella quería ser esposa y madre y está desempeñando

LO OPUESTO A LA VALENTÍA EN LA SOCIEDAD NO ES LA COBARDÍA, ES LA CONFORMIDAD.

—Rollo May

Tenemos lo que llamamos una plataforma de seguridad, si eso es lo que una persona está buscando, pero tenemos que decidir qué tan alto por encima de esta plataforma queremos llegar.

—Earl Nightingale

muy bien su papel. El éxito es el hombre que está dirigiendo una gasolinera en la esquina porque ese era su sueño; era lo que quería hacer. El éxito es el exitoso vendedor que quiere convertirse en un vendedor de primer nivel, crecer, y edificar su organización. El éxito es cualquier persona que está haciendo deliberadamente un trabajo predeterminado porque eso es lo que decidió hacer deliberadamente. Pero solo uno de cada veinte personas hace eso.

Es por eso que hoy no hay competencia real, a menos que la hagamos por nuestra propia cuenta. En vez de competir, lo único que tenemos que hacer es crear. ¿Saben? Por veinte años busqué la clave que determinaba lo que le pasaría a un ser humano. ¿Había alguna clave, quería saber, que haría del futuro una promesa que podríamos predecir en gran medida? ¿Había alguna clave que garantizara que una persona tuviera éxito si solo supiera esta clave y supiera cómo usarla?

Pues, sí existe tal clave, y la he encontrado. ¿Alguna vez te has preguntado por qué algunas personas trabajan tan duro y honestamente, pero nunca logran nada en particular y otros no parecen trabajar tan duro y parecen tenerlo todo? Parece que tienen el toque mágico. Has escuchado decir de alguien: "Todo lo que toca se convierte en oro".

¿Alguna vez has notado que un hombre que tiene éxito tiende a seguir teniendo éxito? Por otro lado, ¿has notado cómo un hombre que es un fracaso tiende a seguir fracasando?

Pues, es a causa de las metas. Algunos de nosotros tenemos metas, otros no. Las personas con metas tienen éxito porque saben a dónde van. Así es de sencillo.

Piensa en un barco que está saliendo de un puerto, con su viaje completamente trazado y planificado. El capitán y la tripulación saben exactamente a dónde va el barco y cuánto tiempo tardará. Tiene una meta definida. Ahora, 9.999 veces de los 10.000, llegará al destino que tenía cuando inició el viaje.

Ahora, tomemos otro barco igual al primero, pero sin una tripulación y sin un capitán en el timón. No le demos un punto de inicio, ni una meta, ni un destino. Simplemente echamos a andar las máquinas y lo dejamos ir. Creo que estarás de acuerdo conmigo en que si siquiera logra salir del puerto, o se hundirá o terminará en una playa desierta, en abandono. No puede ir a ningún lugar porque no tiene ni destino ni dirección, y sucede lo mismo con un ser humano.

EN VEZ DE COMPETIR, LO ÚNICO QUE TENEMOS QUE HACER ES CREAR.

—Earl Nightingale

Si comprendes completamente lo que te voy a decir, desde este momento en adelante, a partir de este momento tu vida nunca volverá a ser la misma. De repente encontrarás que la buena suerte parece sentirse atraída a ti. Las cosas que quieres simplemente llegan, y de ahora en adelante no tendrás los problemas, las preocupaciones, la ansiedad persistente que posiblemente hayas experimentado antes. La duda, el temor—serán cosas del pasado.

—Earl Nightingale—

Tomemos a un vendedor, por ejemplo. No hay nadie en el mundo hoy con el futuro como el de un buen vendedor. Vender es la profesión de más alta paga si somos buenos y si sabemos a dónde vamos. Toda compañía necesita vendedores de primera clase, y recompensan a estos hombres. El cielo es el límite para ellos. Pero, ¿a cuántos puedes encontrar?

En una ocasión alguien dijo que la raza humana está arreglada, no para impedir que los fuertes ganen, sino para que los débiles no pierdan. La economía de hoy se puede comparar con un convoy en tiempo de guerra. Toda la economía se ralentiza para proteger su eslabón más débil, de la misma manera que el convoy tiene que ir a una velocidad que permita al barco más lento permanecer en formación.

Es por eso que es tan fácil ganarse la vida hoy. No se requiere un cerebro superior o talento para ganarse la vida, para sostener a una familia hoy. Tenemos lo que llamamos una plataforma de seguridad, si eso es lo que una persona está buscando, pero tenemos que decidir qué tan alto por encima de esta plataforma queremos llegar.

Ahora, regresemos al secreto más extraño del mundo, la historia que quería contar hoy. ¿Por qué es que los hombres con metas tienen éxito en la vida mientras que los hombres sin ellas fracasan?

Pues, permíteme decirte algo que, si en verdad lo entiendes, alterará tu vida inmediatamente. Si comprendes completamente lo que te voy a decir, desde este momento en adelante, a partir de este momento tu vida nunca volverá a ser la misma. De repente encontrarás que la buena suerte parece sentirse atraída a ti. Las cosas que quieres simplemente llegan, y de ahora en adelante no tendrás los problemas, las preocupaciones, la ansiedad persistente que posiblemente hayas experimentado antes. La duda, el temor—serán cosas del pasado.

Ésta es la clave del éxito y la clave del fracaso:

NOS CONVERTIMOS
en lo que pensamos.

Ahora, permíteme decirlo de nuevo: Nos convertimos en lo que pensamos.

A lo largo de toda la historia, los grandes sabios y maestros y filósofos y profetas han estado en desacuerdo en

LA VIDA DE UN HOMBRE ES LA QUE SUS PENSAMIENTOS HACEN DE ELLA

—Marco Aurelio

Si solo te importa lo suficiente un resultado, casi con toda seguridad lo lograrás. Si deseas ser rico, serás rico. Si deseas ser una persona instruida, serás esa persona instruida. Si deseas ser bueno, serás bueno. Solo que debes realmente desear estas cosas y desearlas exclusivamente y no desear a la misma vez cien otras cosas incompatibles con el mismo fervor.

—William James

cuanto a muchas cosas. Es solo en este punto que están en acuerdo completo y unánime.

Conozcamos lo que dijo Marco Aurelio, el gran emperador romano, "La vida de un hombre es lo que sus pensamientos hacen de ella". Disraeli dijo esto: "Todo viene si un hombre solo espera. He llegado, tras larga meditación, a la convicción de que un ser humano con un propósito sutil debe lograr esto y que nada puede resistir una voluntad que pondrá en juego su misma existencia para lograr su cumplimiento".

Ralph Waldo Emerson dijo esto: "Un hombre es lo que piensa durante todo el día".

Williams James dijo, "El mayor descubrimiento de mi generación es que los seres humanos pueden alterar sus vidas por medio de alterar las actitudes de su mente". También dijo, "Necesitamos solo actuar a sangre fría como si la cosa en cuestión fuera real y llegará a ser infaliblemente real creciendo en tal conexión con nuestra vida hasta que llegue a ser real. Llegará a estar tan entretejida con hábito y emoción que nuestro interés en ella serán aquellos que caracterizan la creencia".

Él también dijo, "Si solo te importa lo suficiente un resultado, casi con toda seguridad lo lograrás. Si deseas ser rico, serás rico. Si deseas ser una persona instruida, serás esa persona instruida. Si deseas ser bueno, serás bueno. Solo que debes realmente desear estas cosas y desearlas exclusivamente y no desear a la misma vez cien otras cosas incompatibles con el mismo fervor".

CREE Y TEN **ÉXITO.**

En la Biblia, leerás en Marcos 9:23: "Si puedes creer, al que cree todo le es posible".

Mi viejo amigo, el doctor Norman Vincent Peale, lo dijo de esta manera: "Ésta es una de las leyes más grandes del universo. Fervientemente quisiera haberla descubierto desde muy joven. Llegué a darme cuenta de esta ley mucho más tarde en mi vida, y he encontrado que es uno de los mayores, si no mi mayor, descubrimiento, fuera de mi relación con Dios. Esta gran ley, en términos breves y sencillos, declara que si piensas en términos negativos, obtendrás resultados negativos. Si piensas en términos positivos, lograrás resultados positivos. Ese es el simple hecho", siguió diciendo, "que es la base de una ley asombrosa de prosperidad y éxito". En tres palabras: cree y ten éxito.

William Shakespeare lo dijo de esta manera: "Nuestras dudas son traidores y nos hacen perder el bien que frecuentemente podríamos ganar debido al temor de intentarlo".

George Bernard Shaw dijo: "Las personas siempre están culpando a sus circunstancias por lo que son. Yo no creo en las circunstancias. Las personas que avanzan en este mundo son las personas que se levantan y buscan las circunstancias que quieren, y si no las pueden encontrar, las hacen".

Pues, eso es bastante evidente, ¿verdad? Toda persona que descubrió esto pensó por un tiempo que él era la primera persona en descubrirlo. Nos convertimos en lo que pensamos.

Ahora, es razonable que una persona que está pensando en una meta concreta y válida la va a alcanzar porque es en lo que está pensando. Y nos convertimos en lo que pensamos.

Por el contrario, la persona que no tiene ninguna meta, que no sabe hacia dónde va y cuyos pensamientos, entonces, deben ser pensamientos de confusión y ansiedad y temor y preocupación, se convierte en lo que piensa. Si no piensa acerca de nada, se preocupa.

Ahora, ¿cómo funciona esto? ¿Por qué es que nos convertimos en lo que pensamos? Pues, permíteme decirte cómo funciona, hasta donde entiendo. Ahora, para hacerlo, quiero hablar de una situación que es paralela a la mente humana.

Como siembras, ASÍ TAMBIÉN COSECHARÁS.

Supongamos que un agricultor tiene algo de tierra y que es tierra buena y fértil. Ahora, la tierra le da al agricultor una elección. Él puede plantar lo que él quiera. A la tierra no le importa. Depende del agricultor tomar esa decisión.

Ahora, recuerda, estamos comparando a la mente humana con la tierra porque a la mente, al igual que la tierra, no le importa qué plantas en ella. Producirá lo que plantes, pero no le importa lo que plantes.

Ahora, digamos que el agricultor tiene dos semillas en su mano. Una es una semilla de maíz y la otra es una planta venenosa. Él cava agujeros en la tierra, y planta ambas semillas —en uno, maíz, y el otro, la planta venenosa. Él cubre los agujeros, riega y cuida la tierra, y ¿qué sucederá?

Invariablemente, la tierra dará lo que se ha plantado. Tal como dice en la Biblia, "Lo que siembras, eso también cosecharás".

Ahora, recuerda, a la tierra no le importa. Dará el veneno con la misma maravillosa abundancia que el maíz – así que así crecen las dos plantas—una de maíz, y la otra de veneno.

La mente es mucho más fértil, mucho más increíble y misteriosa que la tierra, pero funciona de la misma manera. No le importa lo que plantemos—éxito, fracaso, una meta concreta que vale la pena o confusión, malentendidos, temor, ansiedad, y así sucesivamente. Pero lo que plantamos debe volver a nosotros.

Es que, la mente humana es el último gran continente sin explorar en la tierra. Contiene riquezas más allá de nuestros sueños más locos. Producirá cualquier cosa que queramos plantar.

Posiblemente digas, "Pues, si eso es cierto, ¿por qué la gente no usa sus mentes más"? Pues, yo creo que encontraron una respuesta para eso también. Nuestra mente viene como equipo "estándar" cuando nacemos. Es gratis. Y a las cosas que se nos dan por nada les ponemos poco valor. Las cosas por las cuales pagamos dinero son las que valoramos.

La paradoja es que exactamente lo contrario es la verdad. Todo lo que vale en la vida nos llegó gratis. Nuestras mentes, nuestras almas, nuestros cuerpos, nuestras esperanzas, nuestros sueños, nuestras ambiciones, nuestra inteligencia, nuestro amor por familia e hijos y amigos y país—todas estas posesiones invalorables son gratuitas.

Pero las cosas que nos cuestan dinero en verdad son muy baratas y pueden ser reemplazadas en cualquier momento dado. Un buen hombre puede quedarse sin absolutamente nada y hacerse otra fortuna. Lo puede hacer varias veces. Aun si nuestra casa se quema, la podemos volver a construir, pero las cosas que conseguimos sin pagar nada nunca podremos reemplazarlas.

No usamos la mente humana porque damos por sentado que la tenemos. La familiaridad engendra desprecio. La mente puede hacer cualquier clase de trabajo que le asignemos, pero en términos generales la usamos para trabajos pequeños en vez de grandes. Las universidades han

UN HOMBRE ES LO QUE ÉL PIENSA DURANTE TODO EL DÍA.

—Ralph Waldo Emerson

Decide ahora: ¿Qué es lo que quieres? Planta la meta en tu mente. Es la decisión más importante que tomarás en toda tu vida.

—Earl Nightingale

comprobado que la mayoría de nosotros estamos operando a solo el diez por ciento o menos de nuestras habilidades.

La Mente Humana es el último gran continente en la tierra que no se ha explorado

Decide ahora: ¿Qué es lo que quieres? Planta tu meta en tu mente. Es la decisión más importante que tomarás en toda tu vida.

¿Qué es lo que quieres? ¿Quieres ser un vendedor sobresaliente? ¿Un mejor trabajador en tu trabajo particular? ¿Quieres llegar a lugares en tu empresa, en tu comunidad? ¿Quieres hacerte rico? Lo único que tienes que hacer es plantar una semilla en tu mente, cuidarla, y trabajar consistentemente hacia tu meta, y se convertirá en realidad.

No solo llegará a ser realidad —no hay manera que no pueda llegar a ser. Es que, es como una ley parecida a las leyes de Sir Isaac Newton, las leyes de la gravedad. Si te subes al techo de un edificio y saltas de allí, siempre caerás; nunca subirás. Y es lo mismo con las demás leyes de la naturaleza: siempre funcionan; son inflexibles.

Piensa en tu meta de una manera relajada y positiva. Visualízate en el ojo de tu mente como si ya hubieras logrado esta meta. Visualízate haciendo las cosas que estarás haciendo cuando hayas alcanzado tu meta.

Nuestra edad se ha llamado la edad del fenobarbital, la edad de las úlceras y crisis nerviosas y de medicinas tranquilizantes. En un tiempo cuando la investigación médica nos ha elevado a un nuevo nivel de buena salud y longevidad, demasiados de nosotros nos preocupamos tanto que terminamos en la tumba prematuramente por tratar de hacer frente a las cosas a nuestras pequeñas maneras personales sin aprender unas pocas grandes leyes que se encargarán de todo por nosotros.

Estas cosas nosotros mismos nos las provocamos a través de nuestra forma habitual de pensar. Cada uno de nosotros es la suma total de nuestros propios pensamientos. Él está donde está porque ahí es exactamente donde realmente quiere estar, lo admita o no. Cada uno de nosotros tenemos que vivir del fruto de nuestros pensamientos en el futuro, porque lo que piensas hoy y mañana y el próximo mes y

PLANTA TU META EN TU MENTE. VISUALÍZATE EN EL OJO DE TU MENTE EL HABER YA COMPLETADO ESTA META.

—Earl Nightingale

Lo que piensas hoy y mañana, el próximo mes y el próximo año, moldearán tu vida y determinarán tu futuro.

el próximo año, moldeará tu vida y determinará tu futuro. Eres guiado por tu mente.

Recuerdo una vez que conducía mi auto por el este de Arizona, y vi una de esas máquinas gigantescas que movía tierra; rugía por la carretera a unas treinta y cinco millas por hora con lo que parecía ser treinta toneladas de tierra en ella – era una máquina tremenda e increíble. Había un hombre de baja estatura acomodado en la parte superior con el volante en sus manos, guiándola.

Mientras conducía, me llamó la atención la similitud de esta máquina con la mente humana. Simplemente imagínate que estás sentado a los controles de esa fuente tan vasta de energía. ¿Te vas a sentar y cruzar los brazos y permitir que se guíe solo hacia una zanja? ¿O vas a mantener ambas manos firmemente en el volante y controlar y dirigir este poder a un propósito específico y provechoso? Depende de ti. Estás en el asiento del conductor.

Es que, la misma ley que nos da éxito es una espada de doble filo. Debemos controlar lo que pensamos. La misma regla que puede llevar a un hombre a una vida de éxito, riqueza, felicidad, y todas las cosas que ha soñado para sí y para su familia, esa misma ley puede conducirlo a la zanja.

Todo depende de cómo lo usa, para bien o para mal. Ese es el secreto más extraño del mundo.

Ahora, ¿por qué digo que es extraño, y por qué lo llamo un secreto? La realidad es que no es un secreto en lo absoluto. Primero fue promulgado por algunos de los hombres sabios más antiguos, y aparece una y otra vez a través de la Biblia. Pero muy pocas personas lo han aprendido o entendido. Por eso es extraño y por qué, por alguna razón igualmente extraña, prácticamente sigue siendo un secreto.

Creo que podrías salir y caminar por la calle principal de tu pueblo y preguntar a una persona tras otra cuál es el secreto del éxito, y lo más probable es que no encontrarías a ni una sola persona que te podría contestar.

Ahora, esta información es enormemente valiosa para nosotros si en verdad la comprendemos y la aplicamos. Es valiosa para nosotros no solo para nuestra propia vida, sino para las vidas de los que nos rodean —nuestras familias, empleados, asociados y amistades. La vida debe ser una aventura emocionante. Nunca debe ser aburrida. Un hombre debe vivir plenamente, estar vivo. Debe darle gusto levantarse de la cama por la mañana. Debe estar haciendo un trabajo que le gusta hacer porque lo hace bien.

EL DESCUBRIMIENTO DE MI GENERACIÓN ES QUE LOS SERES HUMANOS PUEDEN ALTERAR SUS VIDAS AL ALTERAR LAS ACTITUDES DE SUS MENTES

—William James

La vida debe ser una aventura emocionante. Nunca debe ser aburrida. Un hombre debe vivir plenamente; estar vivo.

—Earl Nightingale

En una ocasión escuché a Grove Patterson, el que fue el gran editor jefe de *The Toledo Blade,* dar un discurso, y casi al concluir su discurso dijo algo que nunca he olvidado. Dijo, "Mis años en el negocio de los periódicos me han convencido de varias cosas, entre ellas que las personas son básicamente buenas y que vinimos de algún lugar y vamos a un lugar, así que debemos hacer de nuestro tiempo aquí una aventura emocionante. El arquitecto del universo no construyó una escalera que no lleva a ninguna parte".

El más grande maestro de todos, el carpintero de las llanuras de Galilea, nos dio el secreto una y otra vez: "Como crees, así te será hecho".

He explicado el secreto más extraño del mundo y cómo funciona. Ahora quiero explicar cómo puedes comprobar por tu propia cuenta los rendimientos más grandes posibles en tu propia vida por medio de poner el secreto a una prueba práctica. Quiero que hagas una prueba que durará treinta días. No va a ser fácil, pero si lo intentas bien, cambiará completamente tu vida para lo mejor.

No importa cuál sea tu trabajo actual, tiene enormes posibilidades si estás dispuesto a pagar el precio.

—Earl Nightingale

En el siglo diecisiete, Sr. Isaac Newton, el matemático y filósofo natural inglés, nos dio las leyes naturales de la física, las cuales se aplican tanto a los seres humanos como al movimiento de los cuerpos en el universo. Una de estas leyes es que para cada acción, hay una reacción igual y opuesta. En pocas palabras, en cuanto a cómo se aplica a ti y a mí, significa que no podemos lograr nada sin pagar el precio.

Los resultados de tu experimento de 30 días serán en proporción directa al esfuerzo que hayas hecho. Para ser médico, debes pagar el precio de largos años de estudio difícil. Para ser exitoso en las ventas—y recuerda que cada uno de nosotros tenemos éxito en la medida de nuestra habilidad para vender: vender a nuestras familias nuestras ideas, vender la educación en las escuelas, vender a nuestros hijos las ventajas de vivir una vida buena y honesta, venderles a nuestros asociados y empleados la importancia de ser personas excepcionales, y por supuesto, la profesión de venderse a sí mismo—para tener éxito en vender nuestro camino hacia la vida exitosa, debemos estar dispuestos a pagar el precio.

Ahora, ¿cuál es ese precio? Bueno, son muchas cosas.

Primero, es entender emocional e intelectualmente que literalmente nos convertimos en lo que pensamos, que tenemos que controlar nuestros pensamientos si queremos controlar nuestras vidas. Es entender plenamente que como siembras, así también cosecharás.

Segundo, es eliminar todas las constricciones de nuestra mente y permitir que se eleve a las alturas tal como fue diseñada a hacer. Es entender que tus limitaciones son autoimpuestas y que tus oportunidades hoy son enormes más allá de lo que puedas creer. Es levantarse por encima de la mezquindad y los prejuicios de una mente estrecha.

Tercero, es usar tu valentía para...

...forzarte a pensar positivamente acerca de tu problema.

...establecer una meta definida y clara para ti y permitir que tu mente maravillosa piense en tu meta desde todos los ángulos posibles.

...permitir que tu imaginación especule libremente acerca de muchas soluciones diferentes posibles,

...rehusar creer que hay alguna circunstancia lo suficientemente fuerte como para derrotarte en el logro de tu propósito,

...actuar pronto y decisivamente cuando tu rumbo es claro y mantenerte constantemente consciente del hecho de que estás, en este momento, de pie en medio de tus propios "acres de diamantes" como Russell Comwell solía señalar.

Cuarto, ahorrar por lo menos el 10 por ciento de cada dólar que ganas.

Es también recordar que no importa cuál sea tu trabajo actual, tiene enormes posibilidades si estás dispuesto a pagar el precio.

El Precio del **ÉXITO**

1. Entender que los pensamientos son cosas y que debes controlar tus pensamientos a fin de controlar tu vida.
2. Darte cuenta de que las limitaciones son autoimpuestas y que tienes que librarte de ellas.
3. Convocar toda tu valentía para:
    - Pensar positivamente en tu problema
    - Establecer una meta definida

- Permitir que tu imaginación reflexione creativamente sobre varias soluciones posibles
- Actuar pronto y decisivamente cuando tu rumbo esté claro

4. Ahorrar por lo menos el 10 por ciento de tus ganancias.
5. Recordar que no importa cuál sea tu trabajo actual, tiene enormes posibilidades si estás dispuesto a pagar el precio.

Ahora, repasemos los puntos importantes y el precio que cada uno de nosotros debe pagar para lograr la maravillosa vida que puede ser nuestra. Por supuesto, vale cualquier precio.

- Te convertirás en lo que piensas.
- Recuerda la palabra "imaginación" y permite que tu mente se eleve a nuevas alturas.
- Valentía—concéntrate en tu meta cada día.
- Ahorra el 10 por ciento de lo que ganas.

- Acción—las ideas no valen para nada a menos que las activemos.

Ahora trataré de delinear la prueba de treinta días que quiero que tomes. Toma en cuenta que no tienes nada que perder al hacer esta prueba y tienes todo lo que posiblemente quieras ganar.

Hay dos cosas que se pueden decir de todos: cada uno de nosotros quiere algo, y cada uno de nosotros tiene temor de algo.

Quiero que escribas en una tarjeta lo que quieres más que cualquier otra cosa. Posiblemente sea dinero. Posiblemente quieras duplicar tus ingresos o ganar una cantidad específica de dinero. Puede que sea una casa muy bella. Posiblemente sea éxito en tu trabajo. Puede que sea una posición particular en la vida. Podría ser una familia más armoniosa.

Cada uno de nosotros quiere algo. Anota en tu tarjeta específicamente qué es lo que quieres. Asegúrate de que es una sola meta y que está claramente definida. No la necesitas mostrar a nadie, pero llévala contigo para que la puedas ver varias veces al día. Piensa en ella de una manera alegre, relajada y positiva cada mañana cuando te levantas,

Tu meta es tuya en el momento que la escribes y empiezas a pensar en ella.

—Earl Nightingale

e inmediatamente tienes algo por lo cual trabajar, algo por lo cual levantarte de la cama, algo por lo cual vivir.

Mírala cada vez que tengas oportunidad durante el día y justo antes de acostarte por la noche. Al mirarla, recuerda que tienes que convertirte en lo que piensas, y como estás pensando en tu meta, te darás cuenta de que pronto será tuya. Es más, ya es tuya, en realidad, en el momento que la escribes y empiezas a pensar en ella.

Mira la abundancia que te rodea en todas partes mientras haces tus quehaceres del día. Tienes tanto derecho a esta abundancia como cualquier otra criatura viviente. Es tuya con solo pedirla.

Ahora llegamos a la parte difícil—difícil porque significa la formación de lo que probablemente es un hábito totalmente nuevo. Los nuevos hábitos no se forman fácilmente. Una vez formados, sin embargo, te seguirán por el resto de tu vida.

Deja de pensar en lo que temes. Cada vez que entre a tu conciencia un pensamiento temeroso o negativo, reemplázalo con una imagen mental de tu meta positiva y provechosa. Llegarán momentos en los que tendrás ganas de darte por vencido. Es más fácil para un ser humano

**Pedid, y se os dará;
buscad, y hallaréis; llamad,
y se os abrirá.
Porque todo aquel que
pide, recibe; y el que
busca, halla; y al que
llama, se le abrirá.
(Mateo 7:7–8 RVR 1960)**

pensar negativamente en vez de positivamente. Es por eso que solo el cinco por ciento tienen éxito. Tienes ahora que colocarte en ese grupo.

Durante treinta días, debes tomar el control de tu mente. Sólo pensará en lo que le permites pensar.

Cada día durante esta prueba de treinta días, haz más de lo que tienes que hacer. Además de mantener una perspectiva alegre y positiva, da de ti mismo más de lo que has hecho antes. Haz esto sabiendo que tus rendimientos en la vida deben ser en proporción directa a lo que das.

En el momento que decides una meta hacia el cual vas a trabajar, inmediatamente eres una persona exitosa. Entonces estás en esa rara y exitosa categoría de personas que saben a dónde van. De cada cien personas, figuras entre los cinco primeros.

No te preocupes demasiado por cómo vas a lograr tu meta. Deja eso completamente a un poder mayor que tú. Lo único que necesitas saber es adónde vas. Las respuestas te llegarán por su propia cuenta y en el tiempo propicio.

Tus rendimientos en la vida deben ser en proporción directa a lo que das.

Recuerda estas palabras del Sermón del Monte, y recuérdalas bien. Mantenlas constantemente delante de ti en este mes de tu prueba:

> *Pedid, y se os dará; buscad, y hallaréis; llamad, y se os abrirá. Porque todo aquel que pide, recibe; y el que busca, halla; y al que llama, se le abrirá.*

Es tan maravilloso y sencillo como eso. De hecho, es tan sencillo, que en nuestro mundo aparentemente tan complicado, es difícil para un adulto entender que lo único que necesita es un propósito y fe.

Durante treinta días, haz lo mejor que puedas. Si eres vendedor, esfuérzate como nunca lo has hecho antes – no de una manera frenética, sino con la certeza calmada y alegre de que tiempo bien gastado te dará a cambio la abundancia que quieres.

Si eres ama de casa, dedica tu prueba de treinta días a dar completamente de ti misma sin pensar en recibir nada a cambio, y te asombrarás de la diferencia que hará en tu vida.

No importa cuál sea tu trabajo, desempéñalo como nunca antes lo has desempeñado, por treinta días. Y si has mantenido tu meta delante de ti cada día, te maravillarás y asombrarás con esta nueva vida que has encontrado.

Dorothea Brande, la destacada escritora y editora, lo descubrió por sí misma y habla de ello en su excelente libro *Wake Up and Live!* (¡Despierte y Viva!) Toda su filosofía se reduce a estas palabras: "Actúa como si fuera imposible fracasar". Ella hizo su propia prueba con sinceridad y fe, y su vida entera se transformó a una de éxito extraordinario.

Ahora, haz tu prueba durante treinta días completos. No empieces tu prueba hasta que hayas decidido firmemente que la cumplirás en su totalidad. Es que, al ser persistente, estás demostrando fe. La persistencia es simplemente otra palabra para la fe. Si no tuvieras fe, nunca persistirías.

Si fallas durante tus primeros treinta días—y con eso me refiero a encontrarte abrumado con pensamientos negativos—tienes que empezar todo de nuevo desde ese punto y pasar treinta días más.

Gradualmente, tu hábito nuevo se formará, hasta que encuentres que eres una persona entre esa asombrosa minoría para quienes prácticamente nada es imposible.

ACTÚA COMO SI FUERA IMPOSIBLE FRACASAR.

—Dorothea Brande

Sé una persona que sirve. Edifica, trabaja, sueña, crea. Haz esto, y encontrarás que no hay límite a la prosperidad y la abundancia que te vendrá.

¡Y no te olvides de la tarjeta! Es de vital importancia al comenzar esta nueva forma de vida. En un lado de la tarjeta, escribe tu meta, sea lo que sea. Del otro lado, escribe las palabras que hemos citado del Sermón del Monte: *Pedid, y se os dará; buscad, y hallaréis; llamad, y se os abrirá.*

Nada grande se ha logrado sin inspiración. Encárgate de que durante estos primeros treinta días cruciales, tu propia inspiración se mantenga a su máximo.

Sobre todo, no te preocupes. La preocupación trae temor, y el temor es paralizante. La única cosa que te puede causar preocupación durante tu prueba es tratar de hacerlo todo tú mismo.

Sabe que lo único que tienes que hacer es aferrarte a tu meta delante de ti. Todo lo demás se encargará de sí solo.

Recuerda también mantener la calma y la alegría. No permitas que las cosas insignificantes te molesten y causen que te desvíes de tu camino.

Ahora, porque hacer esta prueba es difícil, algunos dirán, "¿Por qué molestarme?" Pues, mira la alternativa. Nadie quiere ser un fracaso. Nadie quiere ser un individuo mediocre. Nadie quiere vivir una vida constantemente llena de preocupación, temor y frustración.

Por lo tanto, recuerda que tienes que cosechar lo que siembras. Si siembras pensamientos negativos, tu vida se llenará de cosas negativas. Si siembras cosas positivas, tu vida será alegre, exitosa y positiva.

Ahora, poco a poco tendrás la tendencia de olvidarte de lo que has escuchado en esta grabación. Escúchala con frecuencia. Sigue recordándote lo que debes hacer para formar este nuevo hábito. Reúne a toda tu familia a intervalos regulares y escuchen lo que se ha dicho aquí.

La mayoría de los hombres te dirán que quieren hacer dinero, sin entender la ley. Las únicas personas que "hacen dinero" trabajan en una fábrica de dinero. El resto de nosotros tenemos que ganar dinero. Esto es lo que hace que aquellos que siguen buscando algo por la nada, que no quieren que nada les cueste, fracasen en la vida.

La única manera de ganar dinero es por medio de proporcionar a las personas servicios y productos que son necesarios y útiles. Intercambiamos nuestro tiempo y nuestro producto o servicio por el dinero de otro hombre.

Así que, la ley es que nuestro retorno financiero será en proporción directa a nuestro servicio.

Ahora, el éxito no es el resultado de ganar dinero. Ganar dinero es el resultado del éxito, y el éxito es en proporción directa a nuestro servicio. La mayoría de las personas entienden esta ley al revés. Creen que eres exitoso si ganas mucho dinero. La verdad es que solo puedes ganar dinero después de ser exitoso.

Es como la historia del hombre que se sentó en frente de la estufa y le dijo, "Dame calor, y entonces añadiré la leña".

¿A cuántos hombres y mujeres conoces, o que te supones que hay hoy, que toman la misma actitud hacia la vida? Hay millones. Tenemos que añadir el combustible antes de que podamos esperar calor. De la misma manera, tenemos que ser de servicio antes de que podamos esperar dinero.

No te preocupes por el dinero. Sirve. Edifica, trabaja, sueña, crea. Haz esto, y encontrarás que no hay límite a la prosperidad y la abundancia que te vendrá.

La prosperidad está basada en la ley del intercambio mutuo. Cualquier persona que contribuya a la prosperidad debe prosperar a su vez.

A veces el retorno no vendrá de las personas a quienes sirves, pero tiene que llegarte de alguna parte porque esa es la ley. Para cada acción, hay una reacción igual y opuesta.

Cada día durante el período de treinta días de tu prueba, recuerda que tu éxito siempre se medirá por la calidad y la cantidad del servicio que prestes, y que el dinero es un criterio para medir este servicio. Ningún hombre se puede enriquecer a menos que enriquezca a otros. Ahora, no hay excepciones a una ley.

Puedes conducir tu auto por cualquier calle de los Estados Unidos y desde tu auto estimar el servicio que están prestando las personas que viven en esa calle. ¿Alguna vez habías pensado en este criterio antes? Es interesante. Algunos, como ministros y sacerdotes y otras personas devotas, miden sus retornos en el ámbito de lo espiritual, pero nuevamente, sus retornos son equivalentes a su servicio.

Una vez que esta ley se entienda totalmente, cualquier persona que piense puede decir su propia fortuna. Si quiere

LA FUERZA DETRÁS DE CADA ACCIÓN HUMANA ES SU META.

—Earl Nightingale

Ningún hombre puede enriquecerse a menos que enriquezca a otros.

más, tiene que dar mucho más servicio a las personas de quienes recibe su retorno. Si quiere menos, solo tiene que reducir su servicio. Este es el precio que debes pagar por lo que quieres.

Si crees que puedes enriquecerte por medio de engañar a otros, solo puedes terminar engañándote a ti mismo. Puede tomar algo de tiempo, pero tan seguro como el hecho que respiras, recuperarás lo que tú depositaste. Nunca cometas el error de pensar que puedes evitar esto. Es imposible.

Las prisiones y las calles donde caminan las personas que se sienten solas están llenas de personas que trataron de hacer leyes nuevas solo para su propia conveniencia. Posiblemente podamos evitar las leyes del hombre por un tiempo, pero hay leyes más grandes que no se pueden infringir.

Un médico sobresaliente recientemente señaló seis pasos que te ayudarán a lograr el éxito:

1. Establece para ti una meta definida.
2. Deja de menospreciarte.

3. Deja de pensar en todas las razones por las que no puedes tener éxito y en su lugar piensa en todas las razones por las que puedes.
4. Traza tus actitudes desde tu infancia y trata de descubrir dónde obtuviste por primera vez la idea de que no podrías tener éxito si así es cómo has estado pensando.
5. Cambia la imagen que has tenido de ti mismo por medio de escribir una descripción de la persona que quisieras ser.
6. Actúa como la persona exitosa que has decidido llegar a ser.

El doctor que escribió esas palabras es un notable psiquiatra de la costa oeste, el Dr. David Harold Fink.

Haz lo que los expertos desde los albores de la historia registrada han dicho que debes hacer: pagar el precio para llegar a ser la persona que quieres ser. No es, de manera ninguna, tan difícil como vivir sin éxito.

Haz tu prueba de treinta días, luego repítela, luego repítela de nuevo. Cada vez llegará a ser más parte de ti, hasta que te preguntarás cómo es que pudiste haber vivido de otra manera.

Vive de esta nueva manera, y las puertas de la abundancia se abrirán y derramarán sobre ti más riquezas que posiblemente hayas soñado que existieran.

¿Dinero? Sí, mucho—pero lo que es más importante, tendrás paz. Estarás dentro de esa maravillosa minoría que vive vidas tranquilas, alegres y exitosas.

Empieza hoy.

No tienes nada que perder

pero toda una vida para ganar.

EL DESAFÍO DE 30 DÍAS

DE EARL NIGHTINGALE

La famosa prueba de treinta días de Earl Nightingale ha transformado las mentalidades —y vidas— de personas innumerables en todo el planeta, dándoles niveles fenomenales de éxito financiero y profesional, así como la forma máxima de riqueza—una alegría de vida constante y profundamente arraigada.

Ahora te toca a ti implementar este desafío que cambia vidas. En treinta días, descubrirás más abundancia de la que jamás hubieras imaginado—probablemente riquezas monetarias, pero más importante, riquezas emocionales tales como la serenidad, satisfacción y gratitud. Aunque la prueba solo dura un mes, debes repetirla una y otra vez hasta que llegue a ser parte de ti.

El desafío de Nightingale trata dos facetas de la condición humana: nuestros deseos fundamentales así como nuestros temores básicos. Como él dice, "Cada uno de nosotros quiere algo, y cada uno de nosotros le tiene temor a algo". Esta realidad sustenta su filosofía del éxito individual, la cual está fundamentada en la ciencia de la mente—concretamente, la noción de que los pensamientos son cosas, y cuando cambias tus pensamientos, cambias tu realidad.

Por consiguiente, esta prueba de treinta días recomienda tomar acciones que convertirán tu deseo más íntimo a una meta concreta y tus temores persistentes a un hábito nuevo y productivo. Involucra dos procesos continuos

1. Hacer metas

- Escribe en una tarjeta lo que quieres más que cualquier otra cosa—una sola meta, claramente definida.
- En el otro lado, escribe las siguientes líneas del Sermón del Monte:

  Pedid, y se os dará; buscad, y hallaréis; llamad, y se os abrirá. Porque todo aquel que pide, recibe; y el que busca, halla; y al que llama, se le abrirá.

  —Mateo 7:7–8 RVR1960

- Lleva esta tarjeta contigo en todo momento, y periódicamente sácala y léela en ambos lados. Asegúrate de que tu meta sea positiva. Como

Nightingale instruye: "Piensa en ello de una manera alegre y relajada". También aconseja: "Al mirarla, recuerda que tienes que convertirte en lo que piensas, y como estás pensando acerca de tu meta, te darás cuenta de que pronto será tuya".

2. Formación de nuevos hábitos

- El segundo componente de la prueba involucra dejar de pensar acerca de tus temores—porque la regla de "te conviertes en lo que piensas" se aplica tanto a tus pensamientos negativos como los pensamientos positivos.
- Nightingale instruye: "Cada vez que entra un pensamiento negativo o de temor a tu consciencia, reemplázalo con una imagen mental de tu meta positiva y provechosa.

Estas dos actividades—permanecer enfocado en la meta que más deseas y no rendirte a pensamientos negativos intrusivos—están inherentemente entrelazados. La idea es mantener una perspectiva de la vida alegre, relajada, y positiva mientras persigues intensamente tus sueños.

Hacer esto no solo asegurará que alcanzarás tus metas, también garantizará que disfrutarás del proceso—porque así como Nightingale enfatiza repetidamente a través de su obra, tener metas son lo que da significado a la vida.

Su primera regla de vivir es que "un ser humano debe estar trabajando hacia algo que valga la pena. Sin eso, todo lo demás,—aun los logros más sobresalientes y todos los signos del éxito terrenal—tienden a volverse agrios". Nightingale agrega, "En el momento que decides una meta hacia la cuál trabajar, inmediatamente eres una persona exitosa". Para él, la travesía de perseguir tus metas es tan importante, si no más importante, que lograrlas. Y las riquezas se pueden encontrar tanto en el proceso como en el producto.

Además de mantener una perspectiva alegre y positiva mientras reflexionas y tomas medidas para alcanzar tu meta, Nightingale recomienda dar de ti mismo más de lo que has hecho antes. Trabaja más intensamente en tu trabajo que nunca. Asume nuevas tareas con una actitud positiva, y cumple tus tareas regulares con un ojo más agudo para el detalle y con aun mayor compromiso con la excelencia que de costumbre. Agrega valor antes de esperar que los retornos se manifiesten, y el valor te será agregado. La ley de dar y recibir, de sembrar y cosechar, asegura que recibirás en igual medida lo que aportas: veneno por veneno, o recompensa por recompensa, el fracaso por pensamientos tóxicos y negativos, o el éxito por pensamientos positivos y pacíficos. En otras palabras, emite pensamientos con frecuencias positivas que rendirán una cosecha generosa de riquezas.

Toma nota de que si en cualquier momento en treinta días vocalizas un pensamiento negativo, debes comenzar de nuevo desde ese punto y seguir por treinta días más.

COMIENZA TU PRUEBA DE 30 DÍAS

Para comenzar tu desafío de treinta días, debes decidir una meta concreta que quieres perseguir. Nightingale recomienda que escojas sola una en la cual enfocarte para esta prueba en particular, así que tendrás que identificar tu objetivo más deseado.

Nightingale provee las siguientes preguntas para ayudarte a determinar lo que verdaderamente deseas en la vida.

1. Si pudieras cambiar de lugar por completo con cualquier otra persona en el mundo, ¿lo harías? Y ¿quién sería esa persona?

___

___

___

2. Si pudieras trabajar en cualquier trabajo, ¿ese trabajo sería diferente al trabajo que estás haciendo ahora?

___

___

3. Si pudieras vivir en cualquier parte del país, ¿te cambiarías de donde vives ahora, y si es así, a dónde?

   ___

   ___

4. Si pudieras volver a la edad de 12 años y vivir tu vida de nuevo desde ese punto, ¿lo harías? ¿Y qué harías de manera diferente?

   ___

   ___

Nightingale hace notar que la mayoría de las personas contestarán "no" a las cuatro preguntas, aun cuando están, en términos generales, insatisfechos con sus vidas presentes —lo cual, en la mente de Nightingale, explica su infelicidad. Porque las metas son las que dan a nuestras vidas propósito y dirección.

Piensa críticamente en cada una de estas preguntas. Escribe en un cuaderno tus respuestas, explorando no solo el *quién, qué, dónde* y *qué* en cada una de las preguntas del 1-4, sino también los *porqués.*

1. Si cambiaras de lugar con alguien, ¿por qué esa persona en particular? ¿Qué, acerca de su vida, es lo que quisieras emular? ¿Puedes identificar con una sola oración, o aun una frase, lo que tiene esa persona que deseas?

2. Si escogieras una profesión diferente, ¿por qué esa carrera específica? ¿Cuáles cualidades de esa carrera te son deseables? ¿Existen algunas de estas cualidades en tu trabajo actual que se podrían desarrollar más? ¿Cuál sería el título profesional que más desearías y por qué?

3. Si quisieras mudarte a otro lugar, ¿por qué ese lugar en particular? ¿Cuáles aspectos de ese lugar lo hacen ideal para tu hogar? ¿Algunas de esas cualidades están presentes en otros lugares, incluyendo donde vives ahora? O, ¿simplemente deseas un hogar diferente en la misma ubicación general?

4. ¿Por qué hacer de nuevo esa cosa en particular en tu vida marcaría una diferencia? ¿Qué fue lo de esa acción o evento que no te agradó? ¿Cuáles fueron las consecuencias? ¿Por qué la situación alternativa que te imaginaste en la pregunta anterior habría producido mejores resultados?

En base a tus respuestas a estas preguntas, califica en una escala de 1 a 6 (1 siendo lo más deseado y 6 lo menos deseado), las áreas de tu vida en las que más deseas cambiar.

- ☐ Bienestar
- ☐ Finanzas
- ☐ Carrera
- ☐ Lugar
- ☐ Personalidad
- ☐ Relaciones

Después de seleccionar el departamento de vida en el que enfocarás tu prueba de treinta días de la lista anterior, encuentra los ejemplos correspondientes a continuación, para ayudarte a escribir tu meta concreta en la parte de enfrente de la tarjeta que te servirá de recordatorio.

Recuerda, la declaración de tu meta debe ser una **oración concisa** que define claramente una **meta específica.** Usa una o más de las preguntas de la categoría de tu elección para formular la declaración de tu meta singular.

BIENESTAR

1. ¿Cómo defines "bienestar" o "salud"?

2. Si te imaginaras viviendo en un nivel máximo de bienestar, ¿qué implicaría?

3. Tu estilo de vida actual, ¿difiere del estilo de vida actual requerido para tu estado ideal de bienestar?

____

____

____

____

4. ¿Qué estás dispuesto a sacrificar para alcanzar tu meta de bienestar?

____

____

____

____

Ejemplos de
—Declaraciones de meta—

Deseo aumentar la salud y el bienestar en mi vida, lo cual incluye: ____________________.

En _______ [años/meses], deseo_____________ [perder ____ kilos; comenzar _________ deporte o un régimen de mejoramiento mental; transición al veganismo; etc.].

FINANZAS

1. ¿Cuál es el salario que te haría contento, cómodo, o muy feliz? Escribe el número exacto.

____

2. ¿Tienes deudas que quisieras liquidar totalmente? ¿Cuál es la cantidad de esta deuda? ¿En cuántos años quisieras pagar el saldo? ¿Cómo te sentirás cuando hayas liquidado la deuda?

____

____

____

____

3. ¿Cuánto dinero quisieras contribuir a tus ahorros cada mes? ¿O cuáles otras inversiones financieras quisieras hacer?

____

____

____

____

4. ¿Qué artículo grande te gustaría comprar? ¿Cuánto se requiere para que lo puedas comprar?

____

____

5. ¿Cuánto dinero te gustaría dar anual o mensualmente a propósitos filantrópicos? ¿A cuáles causas contribuirías tus fondos? ¿Por qué valoras estas causas ?

____

____

____

____

6. ¿Qué estás dispuesto a renunciar para alcanzar tu meta financiera?

____

____

____

____

EJEMPLOS DE —DECLARACIONES DE META—

En ____ años, me gustaría ganar ____________________ y poder contribuir__________ anualmente a organizaciones benéficas como _________________ y _________________.

En____ años, me gustaría pagar _____________ en deudas y estar ganando ________________ al año.

Dejaré de gastar en ___________________ [gastos misceláneos] con el fin de ahorrar ______________ adicional por mes.

Ahorraré ______________ cada mes con el fin de comprar ________________ en________ [años/meses].

CARRERA

1. ¿Cuál es el trabajo que sueñas y por que? Menciona el título específico de tu trabajo en tu descripción.

   ____

   ____

   ____

   ____

2. ¿Existe un papel diferente en tu empresa actual que preferirías tener? Si es así, ¿cuál? Escribe el título específico de ese trabajo.

   ____

   ____

   ____

   ____

3. ¿Deseas empezar tu propio negocio? Si es así, ¿de qué clase? ¿Por qué valoras la iniciativa empresarial?

4. Si el trabajo que sueñas está en otro campo que tu trabajo actual, ¿qué educación o entrenamiento se requerirá para cambiar de profesión? ¿O quién podría ser tu mentor en tu trabajo deseado?

5. ¿Dentro de cuántos años te gustaría hacer este cambio de trabajo?

____

6. ¿Qué estás dispuesto a sacrificar para alcanzar tu meta profesional?

____

____

____

____

____

Ejemplos de
—Declaraciones de meta—

Dentro de ____ años, me gustaría ser el/la
____________________ en mi compañía actual.

En ____ años, me gustaría comenzar mi
propia empresa de _______________
porque______________________.

En ______ años, yo quisiera cambiar de profesión
a ________________, lo que significa que necesito
buscar capacitarme en ___________________.

UBICACIÓN

1. ¿En qué parte del mundo más te gustaría vivir y por qué?

2. ¿Puedes realizar tu trabajo actual en ese lugar, o necesitarías cambiar de carrera? ¿Qué más se requeriría para que te pudieras trasladar a ese otro lugar?

3. ¿En qué estilo de casa te gustaría más vivir? Describe el estilo específico de casa. (Cape Cod, colonial, moderno, etc.; dos pisos, un solo piso; ladrillo, estuco, etc.) con el mayor detalle posible.

4. ¿Qué estás dispuesto a renunciar para vivir en este lugar?

Ejemplos de —declaraciones de meta—

En _______ [años/meses], me gustaría vivir en _____________________.

En _______ [años/meses] me iré a vivir a una casa del estilo _______ en _____________ [ubicación].

PERSONALIDAD

1. ¿Cuáles son las cualidades de otras personas que más me agradan? ¿Cuáles de estas cualidades debo procurar cultivar más?

2. ¿Cuáles características de personalidad prestarían más a una vida más feliz, alegre y relajada?

3. ¿Qué estoy dispuesto a cambiar acerca de mi vida actual para adoptar una personalidad más agradable (tanto para mí mismo como para los demás)?

EJEMPLO DE UNA —DECLARACIÓN DE META—

Tengo la intención de llegar a ser una mejor versión de mí mismo/a, lo cual incluye cultivar las siguientes características de mi personalidad:

____

____

____

____

Cada día, permaneceré calmado/a, positivo/a y agradecido/a, y me acercaré a cada desafío como una oportunidad para crecer y tener éxito.

RELACIONES PERSONALES

1. ¿Cómo podría mejorar mis relaciones personales actuales?

2. ¿Cuáles relaciones están actualmente ausentes de mi vida que quisiera cultivar?

3. ¿Qué estás dispuesto a sacrificar para desarrollar, reparar, y mejorar estas relaciones?

____

____

____

____

____

EJEMPLOS DE
—DECLARACIONES DE META—

En ____ [años/meses], encontraré a mi futuro [cónyuge/pareja] por ______________.

En ____ [años/meses], mejoraré mi relación con __________, lo cual requerirá ______________________.

Comienza hoy. No tienes nada que perder—pero tienes toda una vida que ganar.

—Earl Nightingale